MARIE-LAURE MEDOVA

Mes premiers pas

de danse classique

MILAN

1

Tes débuts

À quel âge commencer ?

Tu peux commencer
l'apprentissage
de la danse classique
dès 7 ans et peut-être
un peu plus tôt.
C'est ton professeur
qui saura te dire
si tu es prête ou non.

Le professeur adapte
son cours en fonction
de l'âge de ses élèves.

Comment se déroule un cours ?

Un cours de danse dure généralement une heure.
Tu commences par t'échauffer : tu étires et
assouplis tes muscles pour les préparer à des
efforts plus importants. Tu fais d'abord quelques
exercices au sol, puis tu vas travailler à la barre.
Tu échaufferas tes articulations avec des pliés ;
puis, peu à peu, tu feras travailler tout ton corps.
La barre te permet de garder l'équilibre. C'est là
que tu apprendras à te « placer », c'est-à-dire à te
tenir correctement.

Tu passeras ensuite aux exercices au
centre de la salle, mais cela devient
un peu plus difficile car tu n'as plus
l'aide de la barre. À toi de trouver
ton propre équilibre. C'est avec le
travail au milieu que tu apprendras à
déplacer ton corps avec grâce.
Le professeur se déplace pendant le
cours pour te corriger, ou te donner
un conseil ou t'expliquer un
mouvement que tu n'aurais pas
compris.

La salle de danse

Le sol de ta salle de danse est en parquet : il te permet de sauter et de rebondir en souplesse. Sur les murs : des miroirs. Indispensable : il faut se regarder pour pouvoir corriger de mauvaises positions.

Le long d'un mur, deux barres te serviront d'appui pour certains exercices. Tous les exercices se font en musique, puisque le rythme est la base même de la danse. C'est aux vestiaires que tu te changes avant et après les cours. C'est le moment où tu peux bavarder, car pendant les cours, chut ! Seul le professeur a le droit de parler.

Deux barres pour prendre appui.
Un miroir pour se corriger.

Ton équipement

Pour les filles : une tunique, des collants et des chaussons demi-pointes rose pâle.

Pour les garçons : un tee-shirt blanc, un collant noir et des chaussons demi-pointes noirs.

Tes cheveux ne doivent pas te gêner. S'ils sont longs, relève-les en chignon. Ta tenue doit toujours être très nette.

Une nuque bien dégagée donne un joli port de tête.

Les chaussons demi-pointes sont vendus sans élastique. Ils doivent être renforcés par un élastique cousu comme sur la photo.

Pas de chaussons de pointes pour le moment. Il te faudra plusieurs années d'apprentissage avant d'avoir le droit de les porter.

2

La leçon de danse

Au début,
tu apprendras à marcher avec grâce,
à courir avec légèreté, à écouter les rythmes de la musique.
Puis viendront les exercices au sol,
à la barre, au milieu.
Mais, avant tout, tu dois te familiariser
avec les cinq positions.

Les cinq positions

Sans les cinq positions, tu ne pourras apprendre
aucun mouvement. En effet, presque tous
les pas de danse classique commencent et finissent
par l'une d'elles.
À chaque position des pieds correspond une
position des bras.

Première position

Les bras sont légèrement
soutenus et dessinent un
arrondi.
Les jambes sont tendues.
Les talons sont joints et les
pieds, bien ouverts,
forment une ligne droite.

Deuxième position

Les bras ouverts sur les
côtés sont légèrement
arrondis.
Les pieds sont écartés et
toujours bien tournés en
dehors.

Troisième position

Le bras droit est remonté en demi-cercle, alors que le gauche reste en seconde position.
Le talon du pied droit est placé contre le milieu du pied gauche.

Quatrième position

Le bras droit reste à la verticale et le gauche se place devant en première position.
Le pied droit glisse en avant pour se placer parallèlement au pied gauche. L'écart doit être de la longueur d'un pied.

Cinquième position

Les bras montent à la verticale pour former un arrondi. Les mains ne se touchent pas.
Les deux pieds sont serrés l'un contre l'autre : chaque pointe de pied touche le talon de l'autre.

Les exercices au sol

Les exercices au sol permettent d'assouplir certaines articulations. Ils musclent ton dos, ton ventre, tes jambes.

Assouplissement du dos et musculation du ventre

1 Allonge-toi sur le sol. Écarte les bras et plie les jambes. Les pointes de pieds doivent être réunies et les talons décollés.

2 Relève-toi et assieds-toi en gardant les genoux ouverts et les pieds réunis. Les bras sont en cinquième position et le dos parfaitement droit.

3 Ton professeur peut t'aider à te pencher en avant, en gardant le dos bien plat, bien droit.

4 Termine le mouvement en relâchant complètement le haut du dos et penche-toi en avant le plus bas possible.

5 Redresse-toi pour te retrouver en position assise, le dos plat et les bras arrondis en cinquième position.

6 En gardant le dos bien droit, descends les bras en première position. Répète l'exercice en redescendant très lentement vers le sol, dos arrondi, pour retrouver la position de départ (1 ou 4).

Lever de jambes
et ouverture des hanches

1 Allonge-toi sur le sol, une jambe tendue croisée sur l'autre, en abaissant les pointes de pieds.

2 Lève la jambe droite, elle doit être parfaitement tendue.

3 Passe la jambe tendue sur le côté sans toucher le sol. Le dos et le bassin restent bien plaqués au sol.

4 Reviens au point de départ en rasant le sol de ta jambe tendue.

5 Remonte la même jambe en laissant glisser le pied contre le mollet pour arriver « en raccourci » au genou. Les hanches restent plaquées au sol. Le talon du pied de la jambe repliée est décollé.

6 Redescends la jambe et croise-la sur la jambe restée au sol.

Comme tu dois faire travailler les deux jambes, il ne te reste plus qu'à reprendre l'exercice de l'autre côté.

Ouverture des hanches

1 Assieds-toi les jambes pliées, les pointes de pieds réunies et les talons décollés. Monte et descends les genoux.

2 Tends les jambes, pointes de pieds baissées, et écarte-les le plus possible en direction du sol. Replie et reviens à la position de départ.

Assouplissement latéral du buste

1 Assieds-toi et écarte au maximum les deux jambes. Place les bras en couronne, en conservant le dos bien plat.

2 Descends le bras gauche tout en effectuant une torsion du buste.

3 Descends le buste au-dessus de la jambe gauche. Le bras droit doit être parallèle à la jambe. Le bras gauche est en seconde position. Reviens doucement à la position de départ, et recommence du côté droit.

Placement des hanches

1 Assieds-toi et plie les jambes : les voûtes plantaires doivent se toucher. Redresse bien le dos. Appuie-toi sur tes mains placées derrière toi.

2 Prends ton talon droit dans ta main droite. Puis tends la jambe devant toi en gardant toujours le dos bien droit.

3 Fais passer la jambe tendue sur le côté. Ton dos doit être toujours bien étiré.

4 Relâche la main en maintenant la jambe parfaitement tendue.

5 Reviens au point de départ, et reprends l'exercice avec l'autre jambe.

La barre

Le travail à la barre prépare aux exercices du milieu et, plus tard, aux pas des futurs ballets. La barre permet de trouver plus facilement un certain équilibre. Tous les exercices doivent être pratiqués d'un côté, puis de l'autre, pour faire travailler également les deux parties du corps.

Pliés en première position

1 Place-toi de profil à la barre, les pieds et le bras libre en première position.

2 Passe le bras en seconde position.

3 Exécute un demi-plié : les talons sont joints et restent bien collés au sol. Les genoux sont à demi fléchis.

4 Exécute un grand plié : les genoux sont complètement fléchis. Le bras libre descend en position de départ, les talons se soulèvent du sol.

5 Remonte lentement et reviens en passant par le demi-plié à la position tendue. Le bras monte en première.

6 Ouvre le bras en seconde position.

Relevé face à la barre

1 Exécute un demi-plié en première position, en soutenant les chevilles, en gardant le dos droit et les épaules baissées.

2 Puis tends les jambes.

3 Exécute un relevé sur la demi-pointe, talons en dehors.

4 Redescends en première position sans plier les genoux, pour reprendre ensuite le mouvement au début.

Relevé en sixième position

1 Place-toi face à la barre, jambes tendues, pieds joints sur le sol, en gardant toujours le dos bien droit.

2 En montant sur la demi-pointe, soulève les talons le plus haut possible.

Port de bras avec cambré

1 Place-toi en cinquième position. Penche ton buste en avant le plus bas possible, puis…

2 … reviens en position droite en te cambrant légèrement en arrière, le bras étiré et la tête dans le prolongement du bras.

Équilibre au genou

1 La jambe d'appui est sur la demi-pointe, le pied libre se place en raccourci au genou. Le bras libre est en troisième position.

Seconde et arabesque

1 Seconde à la hauteur : la jambe qui repose sur le sol doit être parfaitement tendue. La jambe libre monte à la hauteur ; elle est tendue et tournée vers l'extérieur. Le dos doit rester droit, le bras est en troisième position.

2 Arabesque face à la barre : l'arabesque est un mouvement qui s'exécute très doucement. Le dos est étiré au maximum, la tête bien droite.

Pied sur la barre

1 Pied sur la barre, en quatrième devant, sur la demi-pointe.

2 Le pied dans la main.

Le grand écart

2 Le grand écart de face. Il faut arriver à toucher le sol de toute la longueur de tes deux jambes.

1 Le grand écart est le dernier des exercices à la barre. Après un échauffement complet, le professeur aide l'élève, qui se tient à la barre, à monter la jambe plus haut qu'il ne pourrait le faire tout seul. Mais attention ! Cet exercice ne doit être fait qu'avec l'aide du professeur.

3 Grand écart.

Le milieu

Après la barre, tu vas évoluer au milieu du studio, sans appui. Tu ne peux compter que sur ton propre équilibre. Après quelques exercices, tu apprendras de petits enchaînements.

Le port de bras

Le travail des bras, en danse classique, est très important. Dans un ballet, on parle avec ses mains… et ses bras. Apprendre à les déplacer avec grâce et naturel demande de l'entraînement.

1 Place-toi en cinquième position, les épaules légèrement en arrière.

2 Monte les bras en première.

3 Puis ouvre-les en seconde.

4 Redescends-les, pour retrouver la position de départ.

5 Remonte tes bras en première…

6 Puis place-les en troisième position. N'oublie pas de suivre le mouvement avec la tête.

7 Descends le bras droit à la seconde…

8 … puis ramène les deux bras à la position de départ.

9 Place à nouveau tes bras en première position…

10 … puis monte-les en cinquième position.

11 Descends-les en seconde.

12 Termine le port de bras en position de départ. Change alors la position de tes pieds pour refaire le même exercice de l'autre côté.

Le pas de bourrée

1 Place-toi au centre du studio, en cinquième position, le pied droit derrière, les bras en position de départ.

2 Plie les deux jambes et remonte les bras en première.

3 Place la jambe droite dans une seconde légèrement décollée du sol.

4 Monte sur les demi-pointes, jambes tendues.

5 En restant sur les demi-pointes, écarte à la seconde la jambe qui se trouve devant. Ouvre les bras en seconde position.

6 Ramène la jambe droite devant la gauche dans un demi-plié et ramène les bras en position de départ.

7 Pour finir le pas de bourrée, tends les deux jambes.

Échappé épaulé

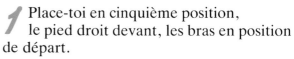 Place-toi en cinquième position,
le pied droit devant, les bras en position de départ.

2 Plie les jambes et remonte les bras en première.

3 Écarte les jambes en montant sur les demi-pointes. Place tes bras en seconde position.

4 Ramène les pieds en cinquième, le pied gauche passe devant, les jambes sont pliées.

5 Reprends ton échappé dans l'autre sens.

6 Puis ramène tes pieds en cinquième position ; le pied droit se retrouve devant.

7 Termine en tendant les jambes et en plaçant tes bras en position de départ.

Relevé au genou

1 Place-toi en cinquième position, la jambe droite devant, les bras en sixième position.

2 Plie les jambes.

3 Relève-toi sur la demi-pointe et place la jambe de devant en raccourci au genou. Puis redescends en pliant les deux jambes et termine en tendant les jambes comme au départ.

L'arabesque

L'arabesque est très difficile à exécuter car elle demande un excellent équilibre du corps.

1 Place-toi en équilibre sur une jambe. Monte l'autre jambe bien tendue derrière toi, d'abord à la mi-hauteur…

2 … puis à la hauteur.

3 L'arabesque sur la demi-pointe avec l'aide du professeur.

Les pointes

Qui n'a jamais rêvé de danser sur les pointes et de ressembler à ces gracieuses ballerines qui effleurent à peine le sol ? Mais attention, il te faudra attendre d'avoir dix ou douze ans pour commencer les pointes.

Exercice n° 1

1 Place-toi face à la barre en seconde position.

2 Sans plier les genoux, monte sur les demi-pointes...

3 ... puis sur les pointes, garde les épaules fixes et pousse les talons vers la barre.

4 Reste sur les pointes, garde les pieds en dehors et effectue un plié à la seconde.

5 Descends des pointes en passant par la demi-pointe.

6 Pose les talons au sol, les chevilles hautes et les pieds bien à plat.

7 Tends les jambes.

8 Relève-toi sur les pointes et recherche ton équilibre. Cet exercice doit être repris plusieurs fois.

Exercice n° 2

1 Effectue un demi-plié en première.

2 Tends les deux jambes.

3 Monte sur les demi-pointes sans plier les genoux.

4 Passe sur les pointes.

5 Redescends sur les demi-pointes.

6 Pose les talons au sol, jambes tendues.

7 Le mouvement s'achève sur les pointes.

Échappés suivis d'un relevé en cinquième position

1 Place-toi face à la barre en cinquième position, pied gauche devant.

2 Plie les jambes...

3 ... puis écarte-les, en montant sur les pointes.

4 Redescends en cinquième dans un demi-plié en changeant de pied : le pied droit se retrouve devant.

5 Tends bien les jambes.

6 Plie à nouveau les jambes.

7 Monte sur les pointes, en gardant les pieds bien croisés et serrés l'un contre l'autre.

8 Redescends en cinquième dans un demi-plié.

9 Pour finir, tends les jambes. Tu peux maintenant reprendre l'enchaînement avec l'autre jambe.

3

Du studio à la scène

As-tu assez répété ?
Es-tu sûre de bien connaître ton enchaînement ?
Car le grand jour est proche...
Tu vas danser sur scène, dans un vrai théâtre, en costume,
devant des spectateurs.
Le travail en studio n'a qu'un seul but :
te préparer à prendre ta place dans un ballet.
Même les plus grands danseurs professionnels passent
chaque jour plusieurs heures à s'échauffer
et à répéter leurs enchaînements.

Le jour du spectacle, tu dois être prête.
Une erreur, et c'est la réussite du ballet qui est compromise.
Tu dois donc bien connaître tes propres pas et
aussi savoir évoluer avec les autres. Tu verras, les
longues heures de répétition n'auront pas été inutiles.

Le rideau est levé :
on ne pense plus
qu'à danser !
▼

Un ballet, c'est avant
tout quelque chose qui
raconte une histoire.
Cette histoire, il faut la
mettre en scène. C'est
le chorégraphe qui
effectue ce travail : il
invente des
enchaînements, des
suites de mouvements
que les danseurs
devront apprendre et
suivre exactement.
Bien sûr, tout cela se
fera au rythme de la
musique.
Es-tu prête ? Alors,
oublie le trac et en scène !

▲
Le jour du spectacle,
il n'y a plus de place
pour l'improvisation.

Le maquillage mettra
en valeur tes traits.

Le décor prend toute
son importance grâce
à l'éclairage.
▼

▲
Le costume et les
accessoires font partie
de la mise en scène.

C'est le chorégraphe
qui a mis au point
les mouvements et
les pas des danseurs.
▼

Avec la participation de Amandine, Célia, Éléonore, Émilie,
Fanny, Florence et Sophie, Florence, Laetitia,
Marie-Odile, Maud, Sophie.
Les photos ont été prises à l'Académie de
Danse Classique Marie-Laure MEDOVA
18-18bis, rue Agathoise à Toulouse.
Nous remercions les établissements VICARD
qui ont aimablement fourni les tenues de danse.

Crédit Photos : Éditions Milan
et Augustin de Berranger pour les pages 40, 41.